사랑하는 의 준 에게

하나님의 말씀대로 무럭무럭 자라나서

하나님과 사람들에게 꼭 필요한

사람이 되기를 바래요.

2010년 3월 15일

지구촌선교교회
kelly 전도사님

아장아장 성경

영한대조본

아장아장 성경

영한대조본

길버트 비어스 지음 · 캐롤 뵈르크 그림 · 송서진 옮김

주니어 아가페

차 례

부모님과 선생님들께

아장거리며 걷는 시기에는 놀라운 일들이 일어납니다. 여러분의 아이들은 언어의 세계와 눈에 보이는 신기한 것을 통해서 모험의 문에 들어서게 됩니다.

어떤 아이는 말하는 것을 배우고, 또 어떤 아이는 걷는 것을 배우고, 게다가 이 아이들은 하나님을 사랑하는 것을 배우기도 하고 무시하는 것을 배우기도 합니다. 하나님을 알고 사랑하는 삶이 바로 어린 시절에 형성되거나 상실된다는 말입니다. 성경을 읽고, 공부하고, 적응하는 삶이 아장거리며 걷는 때부터 시작합니다. 이 시기에 여러분의 아이들과 함께하는 것은 그들의 일생은 물론 영원토록 유익이 될 것입니다.

무엇보다도 「아장아장 성경」에 담고 있는 우리의 목적은 여러분의 아이들이 하나님의 말씀을 사랑하도록 도와 주는 데 있습니다. 이 책이 성경 전체는 아닙니다. 여러분의 아이들이 아직은 성경 전체를 읽을 만한 준비가 되어 있지 않기 때문입니다. 이것은 좀더 자라서 해야 할 일입니다. 그러나 여러분의 아이들은 이제 말씀 안에서 기쁨을 얻고, 말씀 배우기를 바라며, 읽고자 하는 열심이 준비되어 있습니다. 바로 이 시기가 기쁨이나 소망, 또는 열심을 쌓기 시작하는 때입니다. 내년이면 너무 늦을 것 같습니다.

「아장아장 성경」은 아름다운 그림과 여러분의 아이들이 사용하는 범위의 단어, 아이들이 알 수 있는 생각으로 이루어져 있습니다. 이 책은 어떤 이론책에서 나온 것이 아니라 나의 자녀들과 손자들에게 하나님의 말씀 안에서 기쁨을 준, 약 40년간의 실질적인 부모의 경험을 토대로 나온 것입니다.

「아장아장 성경」은 여러분의 아이들에게 성큼성큼이 아니라 조금씩 조금씩 단계적으로 성경의 위대한 이야기나 모험으로 안내할 것입니다. 쉽게 이야기하지만 하나님 말씀의 핵심적인 가르침에는 부족함이 없습니다.

여러분의 아이들이 글씨를 읽지 못할 때는 여러분들이 '자기에게 읽어 주는 것'에 의지합니다. 이 경험이야말로 여러분의 삶 속에서 가장 소중한 경험이라는 것을 깨닫게 될 것입니다. 물론 읽기를 배우고 있는 아이들은 「아장아장 성경」을 좋아할 것이고, 여러분들도 즐거울 것입니다.

자, 이제 여러분의 아이들과 하나님이 함께 말씀으로 가는 영원한 걸음이 될 가장 소중한 여행을 떠나겠습니다. 여러분의 여행은 영원한 기쁨이 될 것입니다.

-V. 길버트 비어스-

Creation
창조

Oh! Look at the beautiful sky!
Do you see the moon?
Do you see the stars?

와! 저 아름다운 하늘을 보세요!
달님이 보이죠?
별님들도 보이나요?

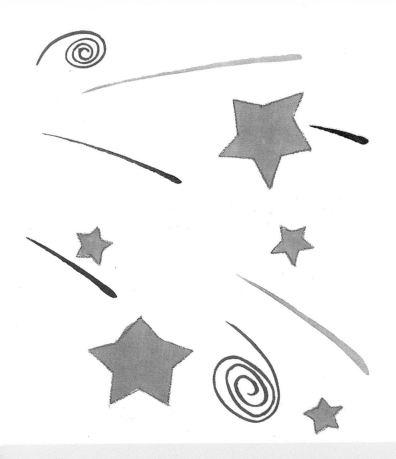

Nothing was there before. The sky was dark. It was empty.

옛날에 하늘에는 아무것도 없었어요. 하늘은 캄캄했어요. 텅 비어 있었죠.

Then God spoke. Wonderful things happened. Our beautiful world appeared. The sun shined.

그런데 하나님이 말씀하자 놀라운 일들이 일어났어요. 아름다운 세상이 나타난 거예요. 햇님이 빛났어요.

Birds sang. Animals were everywhere.
Only God could make all these things.

새들이 노래했어요. 여기저기에 동물들이 있어요.
하나님만이 이 모든 것들을 만들 수 있어요.

God Makes Adam and Eve
하나님이 아담과 하와를 만드셨어요

"I need someone to take care of My beautiful world," God said.

"나의 아름다운 세상을 돌보아 줄 사람이 필요해." 하나님께서 말씀하셨어요.

God made a man.
He called the man Adam.

하나님께서는 남자를 만드셨어요.
그 사람을 아담이라고 불렀어요.

Then God made a woman. Adam and
Eve took care of God's world.

그 다음에 하나님께서는 여자를 만드셨어요.
아담과 하와는 하나님이 만드신 세상을 돌보았어요.

God also made you and me. He is a
wonderful God, isn't He?

하나님은 여러분과 나를 만드셨어요. 하나님은
정말 놀라운 분이에요. 그렇죠?

The Garden of Eden
에덴 동산

Eden was a beautiful garden home.
God made it for Adam and Eve.

에덴 동산은 아름다운 정원이에요.
하나님이 아담과 하와를 위해서 만드셨어요.

"You may eat anything here," God said.
"But you can't eat THAT fruit on THAT
tree!"

"여기에 있는 모든 것은 먹어도 된다. 그러나
저 나무에 열린 저 열매는 먹을 수 없다."
하나님께서 말씀하셨어요.

"That's the best fruit of all,"
Satan said. So Adam and Eve ate
some of it.

"저것이 가장 좋은 열매야."
사탄이 말했어요. 그래서 아담과 하와는
그 열매를 따먹었어요.

Now Adam and Eve were sad.
They had disobeyed God.
They had to leave Eden.

이제 아담과 하와는 슬퍼졌어요.
그들은 하나님 말씀을 듣지 않았어요.
그들은 에덴 동산을 떠나야 했어요.

Noah Builds a Big Boat
노아가 큰 배를 만들어요

"Build a big boat," God said.
Noah loved God.
He would obey God.

"큰 배를 만들어라." 하나님께서 말씀하셨어요.
노아는 하나님을 사랑해요.
그래서 하나님 말씀에 따를 거예요.

Look at that boat that Noah built!
It is bigger than three houses.

노아가 만든 저 배를 보세요!
집 세 채보다도 더 큰 배예요.

"Put animals on the boat," God said.
So Noah put many animals on it.

"동물들을 배에 실어라." 하나님께서 말씀하셨어요.
그래서 노아는 많은 동물들을 배에 실었어요.

Noah and his family went on the boat.
That's what God told them to do.

노아와 그의 가족들도 배에 탔어요.
하나님께서 그렇게 하라고 말씀하셨거든요.

God Sends a Big Flood
하나님께서 큰 홍수를 보내셨어요

One day it began to rain.
It rained and rained and rained.

어느 날 비가 내리기 시작했어요.
비는 내리고 내리고 또 내렸어요.

Water went over the trees.
It went over the mountains.

물이 나무들을 덮었어요.
물이 산들도 덮었어요.

But God took care of Noah and
his family. They were safe on the
big boat.

그러나 하나님께서 노아와 그의 가족들은 보호해
주셨어요. 커다란 배 안에서 다치지 않고
잘 지냈어요.

"Thank You, God," Noah said.
He was glad now that he obeyed God.

"감사합니다, 하나님" 노아는 기도드렸어요.
노아는 하나님의 말씀에 따랐던 것이 너무 기뻤어요.

The Tower of Babel
바벨 탑

One day some men made a tall tower.
It would make them look important.

어느 날 어떤 사람들이 높은 탑을 쌓았어요.
자기들이 최고라는 것을 보여 주려고요.

These men were very proud.
But God did not like this.

이 사람들은 뽐내기를 매우 좋아해요.
그러나 하나님께서는 이런 것을 좋아하지
않으셨어요.

God made them stop building the
tower. He made them go away to
many places.

하나님께서는 그 탑을 쌓지 못하도록 하셨어요.
그리고 그 사람들이 여러 곳으로 흩어지도록
만드셨어요.

Now they did not look so important.
Now they needed God.

이제 그들은 최고처럼 보이지 않아요.
이제는 그들도 하나님이 필요해요.

Isaac Is Born
이삭이 태어나요

Abraham wanted a son.
He was sad when he saw other children.

아브라함은 아기를 갖고 싶었어요.
다른 집 아이들을 볼 때마다 슬펐어요.

But Abraham was 100 years old.
He and Sarah were too old to
have a baby.

그렇지만 아브라함은 벌써 100살이었어요.
아브라함과 사라는 너무 늙어서 아기를 낳을
수가 없었죠.

"I WILL give you a son,"
God promised. Shhh. Do you hear
their baby boy crying?

"내가 너에게 아들을 주겠다."
하나님께서 약속하셨어요. 쉿. 그들의 아기
울음 소리가 들리지 않나요?

Abraham and Sarah named their
new baby Isaac. "Thank You, God,"
said Abraham.

아브라함과 사라는 아기의 이름을 이삭이라고
지었어요. "감사합니다, 하나님."
아브라함이 말했어요.

Esau and Jacob Are Born
에서와 야곱이 태어났어요

"Please give us a baby,"
Isaac and Rebekah prayed.

"우리에게도 아기를 주세요."
이삭과 리브가가 기도했어요.

God heard their prayers.
He gave them TWO sons.
They were TWINS!

하나님께서 그들의 기도를 들어 주셨어요.
아들을 두 명이나 주셨어요.
쌍둥이였거든요!

Esau would become a great hunter.
But God had special plans for
Jacob.

에서는 자라서 훌륭한 사냥꾼이 되었어요.
하지만 하나님께서는 야곱을 위한 특별한
계획을 갖고 계셨어요.

Jacob's family would be called
Israelites. Much of our Bible is
about them.

야곱 집안의 사람들은 이스라엘 사람이라고 불리
웠어요. 우리가 읽는 성경의 대부분이 이스라엘
사람들에 관한 거예요.

Esau Sells His Birthright
에서는 맏아들의 자리를 팔았어요

One day Esau went hunting. His
brother Jacob stayed home to work.

어느 날 에서는 사냥을 하러 갔어요.
그의 동생 야곱은 집에서 일을 하고 있었어요.

Jacob cooked some stew to eat.
When Esau came home he was
hungry.

야곱은 팥죽을 먹으려고 요리하고 있었어요.
에서가 집으로 돌아왔을 때 무척 배가 고팠어요.

"Give me some stew," said Esau.
"Give me your birthright," said Jacob.

"팥죽 좀 줄래." 에서가 말했어요.
"맏아들의 자리를 나에게 줘." 야곱이 말했어요.

So Easu traded his right to lead his
family. All he got was a bowl of stew.

결국 에서는 가족의 우두머리가 되는 맏아들의
자리를 야곱과 바꾸었어요. 그가 받은 건 팥죽 한
그릇뿐이었죠.

Isaac Will Not Fight
이삭은 싸우지 않아요

God gave Isaac many good things.
But the Philistines nearby grew
jealous.

하나님은 이삭에게 좋은 것들을 많이 주셨어요.
그러자 이웃에 사는 팔레스타인 사람들이 점점
더 질투를 해요.

The Philistines filled Isaac's wells
with dirt. So Isaac had no water.
But Isaac would not fight them.

팔레스타인 사람들은 이삭의 우물에 더러운 것을
가득 넣었어요. 그래서 이삭이 먹을 물이 없어졌
어요. 그러나 이삭은 그들과 싸우지 않았어요.

Isaac moved.
The people there stole his wells.
But Isaac would not fight them.

이삭은 이사를 갔어요.
팔레스타인 사람들이 그의 우물을 빼앗았어요.
하지만 이삭은 그들과 싸우지 않았어요.

God liked what Isaac did.
"I will give you many good things,"
God said.

하나님은 이삭이 싸우지 않는 것이 기뻤어요.
"내가 너에게 좋은 것들을 더 많이 주겠다."
하나님께서 말씀하셨어요.

Jacob Tricks His Father
야곱이 자기 아버지를 속였어요

Jacob and Esau were Isaac's twin boys. But Esau was a few minutes older.

야곱과 에서는 이삭의 쌍둥이 아들이에요.
에서가 몇 분 일찍 태어나서 형이 되었어요.

So Esau would lead the family
when Isaac died.

그래서 에서는 이삭이 죽으면 그의 가족을
이끌어야 하지요.

One day Jacob tricked his father.
Isaac gave his blessing to Jacob.

어느 날 야곱이 아버지를 속였어요.
이삭이 야곱에게 축복을 주고 말았어요.

Now Jacob would lead the family
instead of Esau.

이제 야곱이 에서를 대신해서 가족을 이끌어
나갈 수 있어요.

Jacob's Dream
야곱의 꿈

One day Jacob went on a trip.
He went far, far away from home.

어느 날 야곱은 여행을 떠났어요.
집에서 멀리 멀리 떠났어요.

Jacob was very tired.
That night Jacob had a dream.

야곱은 매우 피곤했어요.
그날 밤에 야곱은 꿈을 꾸었어요.

In this dream, angels walked up
and down on a stairway.
Then God spoke to Jacob.

꿈속에서, 천사들이 계단을 오르락내리락했어요.
그때 하나님께서 야곱에게 말씀하셨어요.

"I will do good things for you,"
God said. "And I will do good things
for You," said Jacob.

"내가 너를 위해 좋은 일들을 할 것이다." 하나님
께서 말씀하셨어요. "그리고 저도 하나님을
위해서 좋은 일들을 하겠어요." 야곱도 다짐했어요.

Jacob Meets Rachel
야곱이 라헬을 만났어요

Look! Do you see that beautiful lady?
Rachel helps her father with
his sheep.

보세요! 저기 예쁜 여자가 보이죠?
라헬은 아버지를 도와서 양을 치고 있어요.

Jacob sees Rachel too. He wants
to meet her. How do you think he
will do it?

야곱도 라헬을 보았어요. 그는 라헬을 만나고
싶었어요. 야곱이 어떻게 할까요?

Now you know. Jacob gives some
water to Rachel's sheep.

이제 알겠죠.
야곱은 라헬의 양에게 물을 주었어요.

Some day Jacob and Rachel will get married.

언젠가 야곱과 라헬은 결혼하게 될 거예요.

Joseph's Brothers Sell Him
요셉의 형들이 요셉을 팔았어요

Oh, no! No one would sell his brother.
But Joseph's brothers did.

오, 안돼요! 아무도 자기 동생을 팔 수는 없어요.
그런데 요셉의 형들이 그렇게 했어요.

Joseph's brothers did not like him.
Some even wanted to kill him.

요셉의 형들은 요셉을 좋아하지 않았어요.
심지어 어떤 형들은 그를 죽이고 싶어했어요.

Then some men said they would
buy Joseph. They would make
him a slave.

그런데 어떤 사람들이 요셉을 사겠다고 말했어요.
그들은 요셉을 종으로 만들 거예요.

So Joseph's brothers sold him.
They were very bad brothers,
weren't they?

결국 요셉의 형들은 요셉을 팔아 버렸어요.
정말 나쁜 형들이에요. 그렇죠?

God Helps Joseph
하나님께서 요셉을 도와 주세요

Poor Joseph. he is in jail. Someone
lied about him. So he was put in
jail. Joseph was sad.

불쌍한 요셉. 그는 감옥 안에 있어요.
어떤 사람이 요셉에 대해서 거짓말을 했어요.
그래서 그는 감옥에 갇혔어요. 요셉은 슬펐어요.

But one night the king had a dream.
"What does it mean?" he shouted.
No one could tell him.

그런데 어느 날 밤에 왕이 꿈을 꾸었어요.
"이 꿈은 무슨 뜻이지?" 왕이 소리쳤어요.
그러나 아무도 왕에게 말해 주지 못했어요.

Then God told Joseph what it meant. Joseph told the king. That made the king happy.

그때 하나님께서 요셉에게 꿈의 뜻을 말씀해 주셨어요. 요셉은 왕에게 그대로 말해 주었어요. 왕은 무척 기뻤어요.

"You are a wise man," said the king.
"You will rule over my people."

"당신은 지혜로운 사람이오. 내 백성들을
다스리도록 하시오." 왕이 말했어요.

Joseph's Secret
요셉의 비밀

Joseph has a secret. No one else knows. Joseph's brothers do not know.

요셉에게는 비밀이 있어요. 아무도 그 비밀을 알지 못해요. 요셉의 형들도 알지 못해요.

His brothers have come to buy food.
They must buy it from the ruler.

요셉의 형들이 먹을 것을 사러 왔어요.
그들은 총리 대신에게서 먹을 것을 사야 해요.

But they do not know this ruler is really Joseph. That is his secret.

그러나 형들은 총리 대신이 바로 요셉이라는 것을 알지 못했어요. 그것이 그의 비밀이에요.

Then Joseph tells his brothers
his secret. Do you think they are
happy?

마침내 요셉은 형들에게 자신의 비밀을 말했어요.
형들이 기뻐했을까요?

Hebrew Slaves
히브리 종들

Work, work, work!
That's all the poor slaves did.

일해, 일해, 일하란 말이야!
불쌍한 종들은 그렇게 일을 해야만 했어요.

The king was mean to these
slaves. He made them work.
But he did not pay them.

왕은 종들에게 심술궂게 대했어요.
일을 많이 하게 했어요.
그렇지만 돈을 주지는 않았죠.

But the slaves had something
wonderful! God gave them many
beautiful children.

그런데 종들에게 놀라운 일이 생겼어요.
하나님께서 그들에게 예쁜 아이들을 많이 주신
거예요.

The bad king did not like that.
So he planned to hurt these
beautiful children.

나쁜 왕은 그것을 싫어했어요.
그래서 왕은 예쁜 아이들을 없애기로 마음먹었어요.

Baby Moses
아기 모세

Shhhh. Baby Moses is sleeping.
His mother hid him here.
Please don't wake him.

쉿. 아기 모세가 잠자고 있어요.
그의 엄마가 그를 여기에 숨겼어요.
모세를 깨우지 마세요.

Some bad men want to hurt him.
If he cries, they may find him.

어떤 나쁜 사람들이 모세를 해치려고 해요.
만약 모세가 울면, 그들이 모세를 찾고 말 거예요.

Look! A princess has found Baby
Moses. She will take care of him.

보세요! 공주님이 아기 모세를 찾아냈어요.
공주님은 그를 잘 돌볼 거예요.

Thank You, God.

고맙습니다, 하나님.

A Bush Keeps Burning
가시나무가 불타고 있어요

"Help my people," Moses prayed.
Moses' people were slaves.

"나의 백성을 도와 주세요." 모세가 기도했어요.
모세의 백성들은 종이었거든요.

Then Moses saw a bush.
It was burning.
But it did not stop burning.

그때 모세가 가시나무를 보았어요.
불타고 있었어요.
그런데 타버리지 않고 계속 불이 붙어 있었어요.

God talked to Moses. His voice
came from that burning bush.

하나님께서 모세에게 말씀하셨어요. 하나님의
목소리는 불타는 가시나무에서 들려왔어요.

"Lead your people from Egypt,"
God said. "I will help you."

"너의 백성들을 애굽에서 데리고 나오너라.
내가 너를 도와 줄 것이다."
하나님께서 말씀하셨어요.

Ten Bad Things
열 가지 나쁜 일들

"Let my people go! Stop making
them your slaves," Moses said.
"No!" said the king.

"나의 백성들을 가게 해주시오! 더 이상 종으로
부리지 마시오." 모세가 말했어요.
"안돼!" 왕이 대답했어요.

Then bad things began to happen
to the king. God made these things
happen.

그러자 왕에게 나쁜 일들이 일어나기 시작했어요.
하나님께서 이런 일들이 일어나게 하셨어요.

The king kept on saying NO!
God kept sending bad things to
hurt the king.

왕은 계속해서 '안돼'라고 말했어요.
하나님께서는 왕을 괴롭히는 나쁜 일들이
계속 일어나게 하셨어요.

At last the king said YES.
At last he knew that God was
greater than his gods.

마침내 왕은 '가라'고 말했어요.
그제서야 왕은 자기가 믿는 신들보다도 하나님이
더욱 뛰어나시다는 것을 알았어요.

Moses Leads His People
모세가 그의 백성들을 이끌어요

The king wanted to keep Moses' people. He wanted them to work for him. These people were slaves.

왕은 모세의 백성들이 계속 남아 있기를 바랬어요.
그들에게 일을 시키고 싶었어요.
이 백성들은 종이었거든요.

Now Moses' people are going far
away. Moses will lead them and
God will lead Moses.

이제 모세의 백성들은 먼길을 떠나요.
모세가 백성들을 이끌고
하나님께서 모세를 이끌어 주실 거예요.

The people are not slaves now.
How happy they are.

백성들은 이제 더 이상 종이 아니에요.
얼마나 기쁠까요.

"Thank You, God," said Moses.
"Thank You, God," said the people.

"감사합니다, 하나님." 모세가 말했어요.
"감사합니다, 하나님." 백성들도 말했어요.

Cloud and Fire
구름과 불

Moses is leading his people.
He is leading them to a new home
far away.

모세는 자기의 백성들을 이끌어 가고 있어요.
멀리 떨어진 새로운 땅으로 그들을 이끌고 가는
거예요.

But Moses has never been there.
How will he know where to go?

그런데 모세는 한번도 그곳에 가보지 않았어요.
어떻게 길을 찾아갈 수 있을까요?

Look! Do you see what Moses sees?
There is a tall cloud. God leads
Moses with this cloud each day.

보세요! 모세가 보고 있는 것이 보여요?
키가 큰 구름이에요. 하나님이 매일 이 구름으로
모세를 이끌어 주세요.

Now it is night. God leads Moses
with fire like a cloud.
Thank You, God

지금은 밤이에요. 하나님은 구름처럼 생긴 불로
모세를 이끌어 주세요.
감사합니다, 하나님.

Walking through a Sea
바다 속을 걸어가요

"We need to go over there," the people said. But a sea was between here and there.

"우리는 저곳으로 건너가야 해요."
백성들이 말했어요.
하지만 이곳과 저곳 사이에 바다가 있었어요.

"How will we get across?"
the people asked.
"God will help us," said Moses.

"어떻게 건너가지요?" 백성들이 물었어요.
"하나님께서 우리를 도와 주실 거예요."
모세가 대답했어요.

God sent a wind. It blew on the sea.
The wind blew the water apart.

하나님께서 바람을 보내셨어요. 바다 위로 불어요.
바람은 바다를 갈라놓았어요.

God made a dry path through the
sea. Now the people can walk to the
other side.

하나님께서 바다를 가르시고 마른 길을 만들어
주셨어요. 이제 백성들은 건너편으로 걸어갈 수
있게 되었어요.

God Gives Good Food
하나님께서 맛있는 음식을 주세요

"We're hungry," the people said.
No one had food.
What would they eat?

"배가 고파요." 백성들이 말했어요.
먹을 것이 하나도 없었어요.
백성들은 무엇을 먹을 수 있을까요?

"God will send food for you to eat,"
Moses told the people.

"하나님께서 당신들에게 먹을 것을 주실 거예요."
모세가 백성들에게 말했어요.

God sent special bread called
manna. The people were glad for
the manna.

하나님께서는 만나라고 하는 특별한 빵을 주셨
어요. 백성들은 만나 때문에 기뻤어요.

Now the people had food to eat.
God gave them all they needed.

이제 백성들은 먹을 것이 있어요.
하나님께서 그들에게 필요한 것은 모두 주셨어요.

God Gives Good Rules
하나님께서 십계명을 주세요

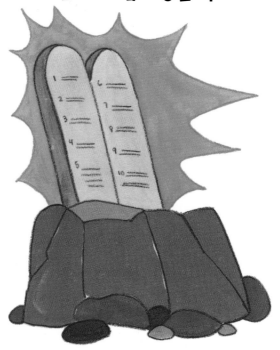

One day Moses went up into a
mountain.
God talked with him there.

어느 날 모세는 산에 올라갔어요.
하나님께서는 거기에서 모세에게 말씀하셨어요.

108

"Here are some good rules,"
God said. "I want the people to
obey them."

"여기에 십계명이 있다.
나는 사람들이 이 계명에 잘 따르기를 바란다."
하나님께서 말씀하셨어요.

Moses listened to God. Then he
told the people what God said.

모세는 하나님께서 말씀하시는 것을 들었어요.
그리고 백성들에게 하나님의 말씀을 전했어요.

Some people obeyed God's rules.
That made them very happy.

사람들은 하나님의 계명에 잘 따랐어요.
그들은 아주 행복해졌죠.

The Golden Calf
황금 송아지

One day Moses went away.
He wanted to talk with God.

어느 날 모세는 멀리 떠났어요.
하나님과 함께 이야기하고 싶었기 때문이죠.

Then some people made a golden
statue. "We will follow the statue,
not God," they said.

그러자 어떤 사람들이 황금으로 송아지를 만들었
어요. "우리는 하나님을 따르지 않고 이 송아지를
따를 거야." 그들이 말했어요.

Moses was angry at these people.
"Follow God, not this statue,"
he said.

모세는 이 백성들에게 화가 났어요.
"이 송아지가 아니라, 하나님만 따라야 해."
모세가 소리쳤어요.

Some people listened to Moses.
They followed God.
That made them happy.

사람들이 모세의 말을 들었어요.
그들은 하나님을 따르기로 마음먹었어요.
그 사람들은 행복해졌어요.

Giving to God
하나님께 드려요

"God wants us to make a beautiful
tent house for Him," Moses said.

"하나님께서는 우리가 그분을 위해서 아름다운
천막 집을 만들기를 바라세요." 모세가 말했어요.

The people gave many good gifts
to build God's tent house.

백성들은 하나님의 천막 집을 만들기 위해서
좋은 물건들을 많이 바쳤어요.

The people were happy to give to God. They gave more than Moses needed.

백성들은 하나님께 드리는 것이 기뻤어요.
그래서 모세가 필요하다고 했던 것보다 더 많이
드렸어요.

"Stop giving!" said Moses.
"We have enough to make God's
beautiful house."

"그만 바치세요! 하나님의 아름다운 집을 만들기
에 충분합니다." 모세가 말했어요.

God's Tent House
하나님의 천막 집

Look! Do you see that beautiful
tent house? It was God's house.
It was called a tabernacle.

보세요! 아름다운 천막 집이 보이나요?
하나님의 집이에요. 성막이라고 불렀어요.

Moses and his people made it.
They used the gifts the people
brought.

모세와 그의 백성들이 만들었어요.
백성들이 가져온 물건으로 만들었죠.

The beautiful tent had gold
furniture inside.

아름다운 천막 안에는 금으로 만든 물건들이
있었어요.

God talked with Moses in the tabernacle. He told Moses how to please Him.

하나님께서는 성막 안에서 모세와 이야기하셨어요. 어떻게 해야 하나님이 기뻐하시는지를 말씀해 주신 거예요.

God Gives Meat to Eat
하나님께서 고기를 주세요

"We're hungry," the people said.
"We want meat to eat."

"배가 고파요. 고기가 먹고 싶어요."
백성들이 말했어요.

There were no stores in the desert.
There was no place to get meat.

사막에는 가게가 없었어요.
고기를 구할 수 있는 곳도 없었어요.

One day God sent quail. They flew
down so the people could catch
them.

어느 날 하나님께서 메추라기를 보내 주셨어요.
메추라기는 땅에 떨어져서 사람들이 잡을 수
있었어요.

Now the people had meat to eat.
God gave it to them.

이제 백성들은 고기를 먹게 되었어요.
하나님께서 그들에게 주신 거예요.

God Promises a New Home
하나님께서 새 땅을 약속하셨어요

"Go into that land," God said.
"I will give it to you."

"저 땅으로 가라. 내가 너희에게 줄 것이다."
하나님께서 말씀하셨어요.

"We can't," said some men.
"The people are too big."

"우리는 갈 수 없어요. 그곳에 있는 사람들은
매우 크거든요." 어떤 사람들이 말했어요.

"We can," said other men.
"God will help us. He promised!"

"할 수 있어요. 하나님께서 우리를 도와 주실
거예요. 약속하셨으니까요."
또 다른 사람들이 말했어요.

But the people would not go in.
So they lived in the desert for a long
time. They were very sad.

그러나 백성들은 가려고 하지 않았어요.
그래서 오랫동안 사막에서 살게 되었어요.
백성들은 너무 슬펐어요.

The Walls of Jericho
여리고 성

Look at Jericho's walls! They are so tall. How can Joshua capture that city?

여리고 성을 보세요! 굉장히 높아요.
여호수아는 어떻게 저 성을 빼앗을 수 있을까요?

God told him how. "March around
the city," God said. "Obey Me."

하나님께서 방법을 말씀해 주셨어요.
"그 성 주위를 돌아라. 내 말에 따라라."
하나님께서 말씀하셨어요.

Joshua and his soldiers obeyed.
They marched around the city the
way God said.

여호수아와 그의 군인들은 순종했어요.
하나님 말씀대로 그 성 주위를 돌았어요.

At last the walls of Jericho fell
down. Joshua and his soldiers
went into the city.

마침내 여리고 성이 무너졌어요.
여호수아와 그의 군인들은 성 안으로 들어갔어요.

Gideon's Little Army
기드온의 작은 군대

Gideon had a little army.
The Midianites had a big army.
But God was helping Gideon.

기드온에게는 군인들이 조금밖에 없었어요.
미디안 사람들은 군인들이 많아요.
그러나 하나님께서 기드온을 도와 주셨어요.

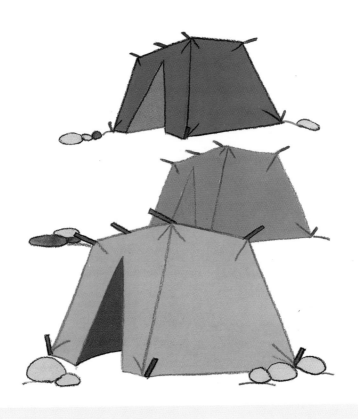

One night God said,
"Light torches and cover them with
pitchers. Go near the enemy camp."

어느 날 밤 하나님께서 말씀하셨어요.
"횃불을 켜서 항아리에 감추어라. 그리고
적 가까이로 가거라."

Gideon and his little army obeyed.
"Break the pitchers," God said. The
torches shined in the darkness.

기드온과 그의 작은 군대는 말씀대로 했어요.
"항아리를 깨뜨려라." 하나님께서 말씀하셨어요.
어둠 속에서 횃불이 환하게 빛났어요.

The Midianites saw the torches. They
heard Gideon's soldiers shouting. So
the big army was afraid and ran away.

미디안 사람들이 횃불을 보았어요. 기드온의 군대
가 외치는 소리도 들었어요. 그러자 큰 군대가 무
서워하며 도망갔어요.

Samson Fights a Lion
삼손이 사자와 싸웠어요

Samson was the strongest man
in the world. God made him strong.

삼손은 이 세상에서 가장 힘이 센 사람이었어요.
하나님께서 힘이 세게 만들어 주셨어요.

One day a lion jumped at Samson.
What would Samson do?

어느 날 사자가 삼손에게 달려들었어요.
삼손이 어떻게 했을까요?

Then God helped Samson.
He gave Samson great strength.

그때 하나님께서 삼손을 도와 주셨어요.
삼손에게 굉장한 힘을 주셨지요.

Samson grabbed the lion's mouth.
He killed the lion with his hands.
God really did help him, didn't He?

삼손이 사자의 입을 움켜잡았어요.
맨손으로 사자를 죽였어요.
하나님께서 삼손을 도와 주신 거예요, 그렇죠?

A Wonderful Lady Named Ruth
룻이라는 훌륭한 여자

Ruth and Naomi lived together.
One day Naomi decided to go home
to Israel.

룻과 나오미는 함께 살았어요.
어느 날 나오미는 이스라엘에 있는 집으로 가기로
마음먹었어요.

"I will go with you," said Ruth.
"Stay here with your own people,"
said Naomi.

"저도 함께 가겠어요." 룻이 말했어요.
"너의 나라인 이곳에서 살아라."
나오미가 말했어요.

But Ruth loved Naomi.
So she left her people.
She went with Naomi.

그러나 룻은 나오미를 사랑했어요.
그래서 자기의 나라를 떠났어요.
나오미와 함께 갔죠.

Naomi was too old to work.
So Ruth worked in the grain fields
to take care of her.

나오미는 너무 늙어서 일을 할 수 없었어요.
그래서 룻은 나오미를 위해서 곡식 밭에서
일했어요.

God Talks to Samuel
하나님께서 사무엘에게 말씀하셨어요

Do you see that golden chest?
It is in God's house, the tabernacle.

저기 황금 상자가 보이죠?
하나님의 집인 성막 안에 있어요.

The boy Samuel lives in God's house.
He sleeps near this golden chest.

소년 사무엘은 하나님의 집에서 살아요.
황금 상자 가까이에서 잠을 자지요.

One night God talked to Samuel.
Samuel loved God. So he listened.

어느 날 밤 하나님께서 사무엘에게 말씀하셨어요.
사무엘은 하나님을 사랑해요. 그래서 하나님의
말씀을 들었어요.

God told Samuel something special.
It is good to listen to God, isn't it?

하나님께서는 사무엘에게 특별한 것을 말씀하셨
어요. 하나님의 말씀을 듣는 것은 좋은 일이에요,
그렇죠?

A New King
새로운 왕

Israel did not have a king.
God told Samuel what to say.
Then Samuel told the people.

이스라엘에는 왕이 없었어요. 하나님께서 사무엘
에게 무엇을 말해야 할지를 말씀해 주셨어요.
그러면 사무엘은 백성들에게 말을 해주었지요.

But the people wanted a king.
They wanted to be like other
nations.

그러나 백성들은 왕을 원했어요.
다른 나라처럼 되고 싶었던 거죠.

"A king will take money from you,"
said Samuel. "He will make you work
hard for him."

"왕은 당신들에게서 돈을 가져갈 겁니다.
자기를 위해서 힘든 일도 시킬 겁니다."
사무엘이 말했어요.

"We want a king," the people said.
God helped Samuel choose a king.
He was a tall man named Saul.

"그래도 우리는 왕을 원합니다." 백성들이 말했어요.
하나님께서 사무엘이 왕을 뽑도록 도와 주셨어요.
사울이라는 키가 큰 사람이 뽑혔어요.

David Fights a Giant
다윗이 거인과 싸워요

Look at that giant! His name is
Goliath. He wants to fight David.

저 거인을 보세요! 이름은 골리앗이에요.
다윗과 싸우고 싶어해요.

How can David win?
He has only a slingshot.
Goliath has a big spear.

어떻게 해야 다윗이 이길 수 있을까요?
다윗은 물맷돌만 가지고 있어요.
골리앗은 커다란 창을 가지고 있고요.

But David asked God to help him.
Goliath did not ask God to help.

그러나 다윗은 하나님께 도와 달라고 기도했어요.
골리앗은 하나님께 도와 달라고 기도하지 않았어요.

That's why David won.

이것이 다윗이 이긴 방법이에요.

David's New Friend
다윗의 새 친구

Who is that young man with the
bow and arrows?
He is Prince Jonathan!

활과 화살을 가지고 있는 저 젊은 사람은
누구일까요?
바로 요나단 왕자예요!

Jonathan likes David.
He saw David knock that giant down.
He knew God had helped David.

요나단은 다윗을 좋아했어요. 요나단은 다윗이
거인을 넘어뜨리는 것을 보았어요.
하나님께서 다윗을 도와 주신 것도 알고 있었어요.

Prince Jonathan is giving David
many wonderful gifts.
He wants to be David's best friend.

요나단 왕자는 다윗에게 좋은 선물을 많이 주어요.
그는 다윗과 좋은 친구가 되고 싶었어요.

David and Jonathan became best
friends for a long, long time.

다윗과 요나단은 아주 오랫동안 매우 좋은
친구가 되었어요.

David Helps Mephibosheth
다윗이 므비보셋을 도와 주어요

Do you see Mephibosheth?
He is the one with crutches.

므비보셋이 보이죠?
목발을 짚고 있어요.

He is the son of King David's best
friend, Jonathan. So David wants
to be kind to him.

므비보셋은 다윗 왕의 가장 친한 친구인 요나단의
아들이에요. 그래서 다윗은 그에게 친절하게
해주고 싶었어요.

David gives Mephibosheth many
good gifts. David tells him to live in
the palace with him.

다윗이 므비보셋에게 좋은 선물들을 많이 주어요.
그리고 자기와 함께 궁궐에서 살자고 했어요.

Do you think Mephibosheth said "thank you" to King David?

므비보셋이 다윗 왕에게 "감사합니다"라고
말했겠죠?

A Special Gift for King Solomon
솔로몬 왕을 위한 특별한 선물

One night King Solomon had a dream.
God talked to him in this dream.

어느 날 밤에 솔로몬 왕은 꿈을 꾸었어요.
하나님께서 꿈 속에서 솔로몬에게 말씀하셨어요.

"I will give you anything," God said.
He could ask for money.
He could ask to be a hero.

"내가 너에게 무엇이든 줄 것이다." 하나님께서
말씀하셨어요. 솔로몬은 돈을 달라고 할 수 있었
어요. 영웅이 되게 해달라고 할 수도 있었지요.

"Help me be a wise king,"
said Solomon. "Help me rule my
people well."

솔로몬이 말했어요
"지혜로운 왕이 되게 해주세요. 그래서 나의 백성
들을 잘 다스리게 해주세요."

God was pleased. "I will make you wise," God said "I will also make you rich and famous."

하나님은 기뻤어요. "내가 너를 지혜로운 사람으로 만들어 주겠다. 또 너를 부자로 만들어 주고 유명하게 만들어 주겠다." 하나님께서 말씀하셨어요.

Solomon Builds God's House
솔로몬이 하나님의 집을 지어요

"What are you doing?" a boy asked.
"Building God's house," said a man.

"무엇을 하고 있어요?" 어떤 소년이 물었어요.
"하나님의 집을 짓고 있단다." 어떤 사람이 대답
했어요.

King Solomon wanted a beautiful house for God. So he had workers put it together.

솔로몬 왕은 하나님을 위해서 아름다운 집을 짓고 싶었어요. 그래서 많은 일꾼들을 모아서 그 일을 시켰어요.

At last God's house was built.
"Come to God's house,"
said the king.

마침내 하나님의 집이 다 만들어졌어요.
"하나님의 집으로 오시오."
왕이 말했어요.

People came from all over the land.
King Solomon prayed. The people sang.
Everyone liked God's house.

백성들이 여러 곳에서 왔어요.
솔로몬 왕은 기도했어요. 백성들은 찬양했지요.
모두가 하나님의 집을 좋아했어요.

Ravens Feed Elijah
까마귀가 엘리야에게 먹을 것을 주어요

"There is no water," people said.
It had not rained for a long time.

"물이 없어요." 백성들이 말했어요.
오랫동안 비가 오지 않았어요.

Plants did not grow without rain.
So there was no food to eat.

비가 오지 않아서 나무와 풀이 자라지 못했어요
그래서 먹을 것이 아무것도 없었어요.

Elijah needed food too. But God
took care of His helper Elijah.
Each day God sent ravens.

엘리야도 음식이 필요했어요. 그러나 하나님께서는
하나님의 종 엘리야를 돌보아 주셨어요.
매일 까마귀를 보내셨거든요.

Each day the ravens brought food
to Elijah. "Thank You, God," Elijah said.
God was taking care of him.

까마귀는 엘리야에게 매일 음식을 가져다 주었어요.
"감사합니다, 하나님." 엘리야가 말했어요.
하나님께서 엘리야를 돌보세요.

God Sends Food Every Day
하나님께서 매일 음식을 보내 주세요

"Please make bread for me," said
Elijah. "But I have only a little flour,"
said the poor woman.

"나에게 빵을 만들어 주세요." 엘리야가 말했어요.
"그렇지만 밀가루가 조금밖에 없는데요." 가난한
여자가 말했어요.

"God will give you flour," said Elijah.
The woman believed him.
She made some bread for Elijah.

"하나님께서 당신에게 밀가루를 주실 거예요."
엘리야가 말했어요. 그 여자는 엘리야를 믿었어요.
엘리야를 위해서 빵을 만들었죠.

Most people had no food.
But this woman always had flour
to make bread.

많은 사람들은 먹을 것이 없었어요.
그러나 이 여자는 항상 빵을 만들 밀가루가
있었어요.

Do you think she was thankful?
"God sent you to help us,"
she said to Elijah.

얼마나 고마웠을까요?
"하나님께서 우리를 돕기 위해서 당신을 보내셨
어요." 그 여자가 엘리야에게 말했어요.

Who Is Really God?
누가 진짜 하나님일까요?

"Baal is God!" some men said. They were bad men. They did not believe in God. Baal was only a little statue.

"바알이 하나님이다!" 어떤 사람들이 말했어요. 그들은 나쁜 사람들이에요. 하나님을 믿지 않았거든요. 바알은 작은 조각상일 뿐이에요.

Some people believed Baal was God.
Some knew that God was God.

어떤 사람들은 바알이 하나님이라고 믿었어요.
어떤 사람들은 하나님만이 하나님이시라는 것을
알았어요.

"Who really is God?" Elijah asked.
He was God's helper. "Let the true
God send fire from heaven."

"누가 진짜 하나님이죠?" 엘리야가 물었어요.
엘리야는 하나님의 종이에요.
"하늘에서 불을 내리는 분이 진짜 하나님이오."

Of course a little statue could not
do that. But God did! So the people
knew that God was truly God.

물론 작은 조각상은 그렇게 할 수가 없었어요.
그러나 하나님께서는 그렇게 하셨어요! 그래서
사람들은 하나님이 진짜 하나님인 것을 알았어요.

A Room for Elisha
엘리사를 위한 방

"Eat with us when you come to town," a man and woman said to Elisha.

"마을에 오시면 우리와 함께 식사합시다." 어떤 남자와 여자가 엘리사에게 말했어요.

Elisha went there often to eat.
One day the man and woman
had a surprise.

엘리사는 식사를 하러 종종 그곳에 갔어요.
어느 날 그 남자와 여자는 엘리사를 놀라게 했어요.

"Look at the beautiful room we have made for you," said the woman.

"우리가 당신을 위해서 만든 아름다운 방을 보세요." 그녀가 말했어요.

"Thank you," said Elisha.
"And thank you for being God's
helper," said the woman.

"감사합니다." 엘리사가 말했어요.
"하나님의 종을 모시게 되어서 오히려 우리들이
감사합니다." 여자가 말했어요.

A Big Chest in God's House
하나님의 집에 있는 커다란 상자

"Fix God's house!" King Joash said.
You see why it needed to be fixed,
don't you?

"하나님의 집을 수리해라." 요아스 왕이 말했어요.
왜 수리해야 하는지 알겠죠, 그렇죠?

But the priests needed money to
fix God's house. They needed to
pay workers to do it.

그런데 제사장들은 하나님의 집을 고치기 위해서
돈이 필요했어요. 수리를 하는 일꾼들에게 돈을
주어야 했거든요.

So the priests put a big chest in
God's house. They made a hole in
the lid of the chest.

그래서 제사장들은 하나님의 집에 커다란 상자를
놓아두었어요. 그 상자의 뚜껑에 구멍을 하나
만들었어요.

People brought money. The priests put it into the chest. Soon they could fix God's house.

사람들이 돈을 가져왔어요. 제사장들은 상자 속에 그 돈을 넣었어요. 곧 하나님의 집을 수리할 수 있었어요.

Nehemiah Builds Some Walls
느헤미야가 벽을 세웠어요

Look at those piles of stones.
Long ago they were beautiful walls.

저 돌무더기를 보세요!
오래 전에는 아름다운 벽이었어요.

Nehemiah wanted to build those
walls again.
He asked some men to help him.

느헤미야는 저 벽을 다시 쌓고 싶었어요.
사람들에게 도와 달라고 부탁했어요.

Other men did not want that.
They tried to stop Nehemiah.
But Nehemiah kept on building.

다른 사람들은 벽을 다시 쌓고 싶지 않았어요.
느헤미야가 하지 못하도록 막으려고 했어요.
그러나 느헤미야는 벽을 쌓아갔어요.

Soon the walls were built.
"Thank You, God," said Nehemiah.

곧 성벽이 세워졌어요.
"감사합니다, 하나님." 느헤미야가 말했어요.

Queen Esther
에스더 왕비

"She's beautiful!" people whispered.
Queen Esther was the most
beautiful lady in the land.

"너무 아름다워요." 사람들이 속삭였어요.
에스더 왕비는 그 나라에서 가장 아름다운 여자
였어요.

A bad man named Haman wanted
to kill the Jewish people. He did not
know that Esther was Jewish.

하만이라는 나쁜 사람은 유다 사람들을 죽이고
싶었어요. 그는 에스더 왕비가 유다 사람이라는
것을 몰랐죠.

One day Esther told the king what Haman wanted to do. The king was angry. He punished that bad man.

어느 날 에스더는 하만이 하려는 일을 왕에게 말했어요. 왕은 화가 났어요. 그는 저 나쁜 사람에게 벌을 주었어요.

Queen Esther was happy. She had
saved her people. Do you think she
thanked God for helping her?

에스더 왕비는 기뻤어요. 자기 나라 사람들을
구했으니까요. 자기를 도와 주신 하나님께 감사
드렸겠죠?

The Story of Job
욥의 이야기

One day a man ran to Job.
"Your children and animals have died,"
he said.

어느 날 한 사람이 욥에게 달려갔어요.
"당신의 아이와 가축들이 모두 죽었어요."
그에게 말했어요.

Then Job got sores all over him.
what would you do now?

그러자 욥은 그 말을 듣고 슬픔에 빠졌어요.
여러분이라면 어떻게 했을까요?

Did Job get angry at God? No.
"God gave me all I had," said Job.
"I will still love Him."

욥은 하나님께 화를 냈을까요? 아니에요.
"하나님께서 내가 가졌던 모든 것을 주셨어요.
나는 여전히 하나님을 사랑해요." 욥이 말했어요.

God was pleased that Job still loved Him. So He gave Job much more than he had before.

하나님은 욥의 사랑 때문에 무척 기뻤어요. 그래서 욥에게 옛날에 가졌던 것보다 훨씬 더 많은 것을 주셨어요.

The King's Food
왕의 음식

Some soldiers captured Daniel and his friends. They are in a new land. They must help the new king.

군인들이 다니엘과 그의 친구들을 잡아갔어요.
그래서 그들은 새로운 나라에서 살게 되었어요.
새 왕을 도와 주어야 해요.

"We will teach you," said the king's
helper. "But you must eat what
the king eats."

"우리가 너희에게 공부를 시킬 거다. 그러나 너희
는 먼저 왕이 드시는 음식을 먹어야만 한다."
왕의 신하가 말했어요.

This food had been offered to the king's gods. Daniel should not eat that!

이 음식은 왕이 믿는 신들에게 제사지냈던 음식이에요. 다니엘은 먹을 수가 없었어요!

"Please let us have some other
food," said Daniel and his friends.
Do you think that pleased God?

"우리에게 다른 음식을 주세요."
다니엘과 그의 친구들이 말했어요.
하나님이 기뻐하셨겠죠?

Daniel and the Lions
다니엘과 사자

Daniel loved God. He prayed to God
each day. God loved Daniel too.

다니엘은 하나님을 사랑했어요. 매일 하나님께
기도드렸어요. 하나님도 다니엘을 사랑했어요.

Some bad men did not like Daniel.
They tricked the king. He said
no one could pray to God.

나쁜 사람들은 다니엘을 좋아하지 않았어요.
그들은 왕에게 고자질했어요. 왕은 아무도
하나님께 기도하지 말라고 말했거든요.

But Daniel would not stop praying.
So the king put Daniel into a lions'
den.

하지만 다니엘은 기도를 멈추지 않았어요.
그래서 왕은 다니엘을 사자굴에 집어넣었어요.

God shut the lions' mouths.
He would not let them hurt Daniel.
You're glad, aren't you?

하나님께서는 사자의 입을 다물게 하셨어요.
사자들이 다니엘을 해치지 못하도록 하신 거죠.
기쁜 일이에요, 그렇죠?

Jonah and a Big Fish
요나와 큰 물고기

"Go to Nineveh," God told Jonah.
But Jonah ran away.
He went far away on a ship.

"니느웨로 가거라." 하나님께서 요나에게 말씀
하셨어요. 그러나 요나는 도망갔어요.
배를 타고 멀리 멀리 갔어요.

God knew that Jonah was on the ship.
So He sent a big storm.

하나님께서는 요나가 배에 탄 것을 알고 계셨어요.
그래서 큰 태풍을 일으키셨죠.

The sailors were afraid.
They threw Jonah into the sea.
Then a big fish swallowed him.

배에 탄 사람들은 무서웠어요.
그들이 요나를 바다에 던졌어요.
그러자 큰 물고기가 그를 삼켰어요.

God told the fish what to do.
The fish took Jonah back to land.
NOW Jonah went where God said!

하나님은 물고기에게 어떻게 해야 할지 말씀
하셨어요. 물고기는 요나를 땅에다 뱉었어요.
이제 요나는 하나님께서 말씀하신 곳으로 가요.

An Angel Brings Good News
천사가 기쁜 소식을 가지고 왔어요

Have you ever seen an angel?
Mary did. The angel talked to her.
He told her some good news.

천사를 본 적이 있나요?
마리아는 보았어요. 천사는 그녀와 이야기도 했죠.
천사는 마리아에게 기쁜 소식을 전해 주었어요.

"You will have a baby," the angel
said. "He will be God's Son.
You will call Him Jesus."

"당신은 아기를 낳을 거예요. 그 아기는 하나님의
아들이에요. 이름을 예수라고 지으세요."
천사가 말했어요.

"I will do what God wants me to do,"
said Mary.

"나는 하나님께서 원하시는 대로 할 거예요."
마리아가 말했어요.

Then the angel was gone. Do you think Mary thanked God for His good news?

그러자 천사는 떠났어요. 천사의 기쁜 소식 때문에 마리아는 하나님께 감사드렸겠죠?

Baby Jesus
아기 예수님

Shhh. Do you see the baby?
This is Baby Jesus.

쉿. 아기가 보이죠?
바로 아기 예수님이에요.

Shhh. Do you see the animals?
Baby Jesus is sleeping in a manger.

쉿. 가축들도 보이죠?
아기 예수님이 구유에서 잠자고 있어요.

Shhh. The people of Bethlehem
are asleep now. They do not know
that this is God's son.

쉿. 지금 베들레헴 사람들이 모두 자고 있어요.
그들은 아기가 하나님의 아들이라는 것을 알지
못해요.

Shhh. Whisper a prayer to God now.
"Thank You, God, for sending Baby
Jesus."

쉿. 조용히 기도드려요.
"하나님, 아기 예수님을 보내주셔서 감사합니다."

Shepherds Visit Jesus
목자들이 예수님을 찾아왔어요

"Look! Is that an angel?"
a shepherd asked.
There WAS an angel in the sky.

"저기 봐! 천사지?"
한 양치기가 말했어요.
정말 하늘에 천사가 있었어요.

The angel talked to the shepherd
and his friends. "Good news! God's
Son has been born in Bethlehem!"

천사는 양치기와 그의 친구들에게 말했어요.
"기쁜 소식이에요! 하나님의 아들이 베들레헴에서
태어나셨어요!"

The sky was filled with angels.
They sang and praised God.
Then they were gone.

하늘에는 천사들이 가득 차있었어요.
그들은 하나님을 찬양하고 경배했어요.
그리고 나서 그들은 사라졌어요.

The shepherds hurried to Bethlehem
to see Baby Jesus. Would you like
to have been there too?

양치기들은 아기 예수님을 보려고 서둘러
베들레헴으로 갔어요. 함께 그곳에 있었다면
정말 좋았겠죠?

Wise Men Visit Jesus
박사님들이 예수님을 찾아왔어요

"We must follow the star," a Wise Man said. "Now," said the others.

"우리는 저 별을 따라가야 해요." 한 박사님이 말했어요. "지금요." 다른 박사님들도 말했어요.

The Wise Men rode camels far from home. They went all the way to Bethlehem.

박사님들은 먼 집에서부터 낙타를 타고 가는 중이에요. 베들레헴을 향해 가고 있어요.

"This is the place," they said.
"The new King is here!"

"바로 여기야. 새로운 왕이 여기에 계셔!"
그들이 말했어요.

The Wise Men gave wonderful gifts
to little Jesus.
That made them very happy.

박사님들은 아기 예수님께 값진 선물을 드렸어요.
마음이 너무 기뻤어요.

Going to Egypt
애굽으로 가요

Could anyone not like little Jesus?
Yes. A bad king did not like Him.
He wanted to kill Jesus.

모두가 아기 예수님을 좋아하지는 않았겠죠?
맞아요. 나쁜 왕은 아기 예수님을 좋아하지 않았
어요. 예수님을 죽이고 싶어했어요.

This bad king had soldiers.
"Kill Him!" the king said. So the
soldiers looked for little Jesus.

이 나쁜 왕에게는 군인들이 있었어요.
"그 아기를 죽여라!" 왕이 명령했어요.
그래서 군인들은 아기 예수님을 찾아다녔어요.

But an angel talked to Joseph.
"Take little Jesus to Egypt,"
the angel said.

하지만 천사가 요셉에게 말했 주었죠.
"어린 예수님을 데리고 애굽으로 가세요."

So little Jesus lived in Egypt
for a while. God took care of
Him there.

그래서 어린 예수님은 잠시 동안 애굽에서
살았어요. 하나님께서는 그곳에서도 예수님을
잘 돌보아 주셨어요.

The Boy Jesus
소년 예수님

Who is that boy? He is making
something with wood.

저 소년은 누구일까요? 나무를 가지고 무언가를
만들고 있어요.

Now you know! That boy is Jesus.
He is helping Joseph. Joseph is a
carpenter.

이제 알겠죠! 저 소년이 예수님이에요.
요셉을 돕고 있어요. 요셉은 목수거든요.

The Boy Jesus grew up in a little
town called Nazareth. Mary and
Joseph took care of Him there.

소년 예수님은 나사렛이라는 작은 마을에서 자랐
어요. 마리아와 요셉은 예수님을 잘 돌보았어요.

God took care of the Boy Jesus too.
Thank You, God.

하나님께서도 소년 예수님을 돌보아 주셨어요.
감사합니다, 하나님.

Jesus Teaches Some Teachers
예수님께서 선생님들을 가르쳐요

Do you see all those men?
They are teachers in God's house,
the temple.

저 사람들이 보이나요?
하나님의 집인 성전에 있는 선생님들이에요.

But look! What is that boy doing?
Jesus is talking with these teachers.

그런데 보세요! 저 소년이 무엇을 하고 있죠?
예수님께서 이 선생님들과 이야기를 하고 있어요.

"How does this boy know so much
about God?" the teachers wondered.
You know, don't you?

"어떻게 이 소년이 하나님에 대해서 이렇게 많이
알고 있을까?" 선생님들은 놀랐어요.
여러분은 알고 있어요, 그렇죠?

Mary and Joseph know too. Jesus
is God's Son. But now it is time
for Him to go home to Nazareth.

마리아와 요셉도 알고 있어요. 예수님이 하나님의
아들이라는 것을요. 그러나 지금은 예수님이
나사렛에 있는 집으로 가야 할 시간이에요.

A Preacher Named John
요한이라는 전도자

That man doesn't look like a preacher.
But he is! His name is John.

저 사람은 전도자처럼 보이지 않아요.
하지만 전도자가 맞아요! 그의 이름은 요한이에요.

John doesn't preach in a church.
He preaches out in a lonely desert.

요한은 교회에서 전도하지 않아요.
멀리 떨어진 사막에서 전도를 해요.

But many people come to hear him.
They listen carefully.
John tells them about God.

하지만 많은 사람들이 요한의 말을 들으러 와요.
그들은 귀를 기울여서 말씀을 들었어요.
요한은 하나님에 대해서 이야기를 하지요.

Some want to follow God. They
want to do what He wants. Now
John is glad he preached to them.

어떤 사람들은 하나님을 따르고 싶어해요.
하나님의 뜻대로 하고 싶어해요.
요한은 전도하는 것이 즐거웠어요.

John Baptizes Jesus
요한이 예수님께 세례를 베풀었어요

"I want to please God," some people said. John baptized them in the Jordan River.

"나는 하나님을 기쁘게 해드리고 싶어요."
어떤 사람들이 말했어요.
요한은 요단 강에서 그들에게 세례를 베풀었어요.

Others watched John baptize them.
They knew now that these people
wanted to please God.

다른 사람들도 요한이 세례를 베푸는 것을 지켜
보았어요. 그들은 이 사람들이 하나님을 기쁘시게
하고 싶어하는 것을 알게 되었어요.

"Baptize Me," Jesus said to John one day. "I will please God too."

"나에게도 세례를 베풀어 주시오. 나도 하나님을 기쁘시게 하고 싶소."
예수님이 어느 날 요한에게 말씀하셨어요.

When John did that, God spoke.
"This is My Son!" God said.
"He really does please Me."

요한이 예수님께 세례를 베풀자, 하나님께서 말씀
하셨어요. "이 사람은 나의 아들이다! 그가 정말
나를 기쁘게 할 것이다."

Jesus Is Tempted
예수님께서 시험을 받으셨어요

Do you see Jesus? He is alone.
He has been in this lonely place
for 40 days.

예수님이 보이나요? 혼자 계세요.
40일 동안이나 이곳에 혼자 계셨어요.

But Jesus has not eaten all this
time. He is very hungry.

그런데 예수님께서는 이곳에 계시는 동안 내내 아무
것도 드시지 않았어요. 그래서 배가 많이 고파요.

Look! There is Satan! He has come
to tempt Jesus. He wants Jesus to
obey him instead of God.

보세요! 사탄이에요! 예수님을 시험하려고 왔어요.
사탄은 예수님께서 하나님 대신에 자기 말에
따르길 바랬어요.

But Jesus will not obey Satan.
"I must always obey God!" He said.
Do you want to obey God too?

그러나 예수님께서는 사탄을 따르지 않아요.
"나는 언제나 하나님 말씀만 따른다!" 예수님께서
말씀하셨어요. 여러분도 하나님 말씀만 따를거죠?

Nicodemus Visits Jesus
니고데모가 예수님을 찾아왔어요

Do you see that man with Jesus?
That's Nicodemus.
He is an important teacher.

예수님과 함께 있는 저 사람이 보이나요?
바로 니고데모예요.
그는 뛰어난 선생님이에요.

Nicodemus knew many things about God. But he knew that Jesus knew more than he did.

니고데모는 하나님에 대해서 많은 것을 알고 있었어요. 그러나 예수님이 자기보다 더 많이 알고 있다는 것을 알았어요.

"Let God give you a new life!"
Jesus said. "It's like being born a
second time."

"하나님께서 당신에게 새 생명을 주실 것이오!
이것은 두 번 태어나는 것과 같소."
예수님께서 말씀하셨어요.

Nicodemus listened carefully.
Do you think he learned something
important that night?

니고데모는 열심히 들었어요.
니고데모는 그날 밤에 중요한 것을 배웠겠죠?

A Woman at a Well
우물가의 여자

"Please give Me a drink," Jesus said to the woman. The woman stood by a well. She had some water.

"나에게 물 좀 주시오." 예수님께서 여자에게 말씀하셨어요. 그 여자는 우물 옆에 서있었어요. 물을 좀 가지고 있었죠.

Now you see the woman asking
Jesus many questions. She knows
He is someone very special.

여자가 예수님께 많은 질문을 하고 있는 것이
보여요. 그 여자는 예수님이 매우 특별한
분이라는 것을 알았어요.

"God's Son will come some day,"
the woman said. "He already has,"
said Jesus. "I am God's Son."

"언젠가 하나님의 아들이 오신다고 했어요."
여자가 말했어요. "그는 이미 와있소. 내가
하나님의 아들이오." 예수님께서 말씀하셨어요.

The woman ran back to her village.
"Come and see a special man I met,"
she said. "He must be God's Son!"

여자는 자신의 마을로 달려가서 외쳤어요.
"다들 와서 내가 만난 특별한 분을 보세요.
그는 분명히 하나님의 아들이에요!"

Jesus Goes Fishing
예수님께서 물고기를 잡아요

"Let's go fishing," Jesus said.
Simon Peter caught fish for a living.

"물고기를 잡으러 가자." 예수님께서 말씀하셨어요.
시몬 베드로는 물고기를 잡아서 살아가고 있었어요.

"We fished all last night,"
Simon Peter answered.
"But we didn't catch one fish."

"우리는 지난 밤 내내 물고기를 잡았어요.
그러나 한 마리도 잡지 못했어요."
시몬 베드로가 대답했어요.

Jesus smiled. "You will today!"
He said. "Put your nets over there!"

예수님께서 미소 지으시며 말씀하셨어요.
"오늘은 잡을 것이다!
그물을 저기에 던져 보아라!"

Now look at all those fish.
Jesus made that happen.
Only God's Son could do that.

저 많은 물고기를 보세요.
예수님께서 저렇게 하셨어요.
하나님의 아들만이 저런 일을 할 수 있어요.

Come with Me
나를 따라오너라

Jesus was doing wonderful things.
But He wanted some helpers.

예수님께서는 놀라운 일들을 하셨어요.
그렇지만 그는 제자들이 필요했어요.

One day Jesus saw Simon Peter and
his brother Andrew fishing.
"Come with Me!" said Jesus.

어느 날 예수님께서는 시몬 베드로와 그의 동생
안드레가 물고기를 잡고 있는 것을 보시고 말씀
하셨어요. "나를 따라오너라."

The two men stopped fishing.
They went with Jesus. So did their
partners, James and John.

두 사람은 물고기 잡는 것을 멈추었어요.
예수님과 함께 떠났지요. 함께 일하던
야고보와 요한도 예수님을 따라갔어요.

Now Jesus had four good helpers.
He would teach them many things.
And they would help do His work.

이제 예수님은 네 명의 좋은 제자들이 있어요.
예수님께서는 그들에게 많은 것을 가르쳐 주셨어요.
그리고 그들도 예수님의 일을 도와드렸어요.

Down through the Roof
지붕을 뚫고 내려요

"Let us in!" four men shouted.
"We want Jesus to heal our friend."
But they could not get in.

"우리를 들여보내 주세요! 예수님께서 우리 친구를
고쳐 주시길 원해요." 네 사람이 외쳤어요.
그러나 그들은 안으로 들어갈 수 없었어요.

You see the big crowd, don't you?
That's why the men can't get into
the house.

많은 사람들이 보일 거예요. 그렇죠?
그래서 네 사람이 집안으로 들어갈 수 없었어요.

So the men climbed onto the roof.
They made a big hole.
They let their friend down to Jesus.

그래서 그 사람들은 지붕 위로 올라갔어요.
지붕에 커다란 구멍을 내었죠.
그들의 친구를 예수님께로 내려 보냈어요.

"I will heal your friend," Jesus said.
And He did! "Thank You, thank You,"
said the four friends.

"내가 너희 친구를 고쳐 주겠다." 예수님께서
말씀하셨어요. 그리고 고쳐 주셨어요!
"감사합니다, 감사합니다." 네 친구가 말했어요.

279

Jesus Calls Matthew
예수님께서 마태를 부르셨어요

People didn't like Matthew. He made them pay taxes to the Romans.

사람들은 마태를 좋아하지 않았어요.
그는 로마 사람들에게 내야 하는 세금을 거두었
거든요.

The Romans had captured this land.
So the people there hated them.

로마 사람들은 유다 나라를 빼앗았어요.
그래서 유다 사람들은 로마 사람들을 미워했어요.

But Jesus wanted Matthew to be
His helper. "Follow Me!" He said.

그런데도 예수님께서는 마태가 제자가 되기를 바
라셨어요.
"나를 따라오너라!" 예수님께서 말씀하셨어요.

Matthew left his good job. He would
be very happy doing Jesus' work.

마태는 좋은 직업을 그만두었어요. 예수님의 일을
돕게 된 것이 너무나 기뻤어요.

Jesus Chooses Twelve Helpers
예수님께서 열두 제자를 뽑아요

"I want twelve of you to do special work for Me," said Jesus.

"너희들 중에서 열두 명을 뽑아 나의 특별한 제자로 삼아야겠다." 예수님께서 말씀하셨어요.

There were many helpers with Jesus
that day. But Jesus chose twelve
to do special work.

그날 예수님을 도우려는 많은 사람들이 모여
있었어요. 그러나 예수님께서는 특별한 일을 할
열두 명만 뽑으셨어요.

These twelve would be called The
Twelve Disciples. They would help
Jesus in special ways.

이 열두 명을 열두 제자라고 불렀어요. 그들은
예수님을 특별한 방법으로 도왔어요

"Thank You, Jesus," the twelve men
must have said. "Thank You for
letting us be Your special helpers."

"감사합니다, 예수님. 우리를 특별한 제자로 삼아
주셔서 정말 감사합니다." 열두 제자가 말했어요.

Jesus Preaches a Sermon
예수님께서 말씀을 전하세요

Look at all those people! They have come to hear Jesus preach.

저 사람들을 보세요! 예수님의 말씀을 들으러 온 사람들이에요.

Look at that tall hill! That's where
Jesus will preach to the people.
We should listen too.

저 높은 언덕을 보세요! 예수님께서 말씀을
전하실 곳이에요. 우리도 말씀을 들어 봐요.

Listen! Do you hear what Jesus is
saying? He is telling us how to
follow Him. Listen to Him.

들어보세요! 예수님의 말씀이 들리나요?
어떻게 예수님을 따라야 하는지 말씀하고 계세요.
계속 들어 봐요.

Jesus says we must be like Him.
We must do what He would do.
We must do what He says. Will you?

예수님께서는 우리가 그분을 닮아야만 한다고 말씀하
세요. 우리는 예수님께서 하신 일들을 해야 해요.
예수님의 말씀대로 살아야 해요. 그렇지 않나요?

A Widow's Boy
과부의 아들

Why is that poor woman crying? Oh!
Now you can see! Her boy has died.
Those people will bury him.

왜 저 불쌍한 여자가 울고 있죠? 오! 보세요!
그녀의 아들이 죽었어요. 저 사람들이 그 아이를
묻을 거예요.

But look! Here comes Jesus.
What do you think He will do?

그런데 보세요! 예수님께서 오시네요.
예수님께서 무슨 일을 하실 것 같아요?

"Please don't cry," said Jesus.
Then He touched the boy's coffin.
"Get up!" Jesus said to the boy.

"울지 마시오." 예수님께서 말씀하셨어요.
그리고 소년의 관에 손을 대셨어요.
"일어나라!" 소년에게 말씀하셨어요.

The boy got up. He is not dead now!
Jesus brought him back to life.
That's why the woman is so happy.

소년이 일어났어요. 지금은 죽은 게 아니에요!
예수님께서 그 아이에게 생명을 다시 주셨어요.
그 여자는 얼마나 기뻤을까요.

Jesus' Wonderful Stories
예수님의 놀라운 이야기들

Everyone wants to hear Jesus.
He has wonderful stories to tell.

모든 사람들은 예수님께 이야기를 듣고 싶어해요.
예수님께서는 놀라운 이야기들을 말씀해 주세요.

Be careful, people!
You don't want to push Jesus into
the lake, do you?

조심하세요, 여러분!
예수님을 호수로 밀어넣고 싶지 않을 거예요.
그렇죠?

That's better. Jesus knew what to do. He can preach from that boat now.

이것이 더 좋겠군요. 예수님께서는 어떻게 해야 할지 알고 계세요. 지금 저 배에서 말씀하고 계세요.

Now Jesus will tell wonderful
stories. The stories will tell us
how to live for God.

이제 예수님께서는 놀라운 이야기들을 하실 거예요.
그 이야기들은 우리에게 하나님을 위해서
어떻게 살아야 하는지를 가르쳐 줘요.

Jesus Stops a Storm
예수님께서 폭풍을 멈추어요

Look at those big waves.
Do you see the boat bobbing on the
big waves?

저 커다란 파도를 보세요.
큰 파도 위에서 이리저리 움직이고 있는 배가
보이나요?

Now you see who is in the boat.
It's Jesus' friends.
But where is Jesus?

지금 배 안에 있는 사람들을 보세요.
바로 예수님의 제자들이에요.
그런데 예수님께서는 어디 계시죠?

"Wake up, Jesus!" His friends shout.
Jesus was asleep in the boat.
"Help us," they cry.

"예수님, 일어나세요!" 제자들이 소리쳤어요.
예수님께서는 배 안에서 주무시고 계셨어요.
"우리를 도와 주세요." 그들이 소리쳤어요.

"Stop storm," Jesus said.
The storm stopped. Even a storm
obeys God's Son. Do you?

"폭풍아, 멈추어라." 예수님께서 말씀하셨어요.
폭풍이 멈추었어요. 폭풍까지도 하나님의 아들에게
순종해요. 여러분도 하나님께 순종하죠?

Jairus' Daughter
야이로의 딸

"Help me!" Jairus said. "My daughter is sick." Jesus went with Jairus.

"도와 주세요! 딸이 아파요." 야이로가 말했어요. 예수님께서 야이로와 함께 가셨어요.

But look at all those people crying.
Jairus' daughter has already died.

하지만 모든 사람들이 울고 있는 것을 보세요.
야이로의 딸은 이미 죽었어요.

"Get up, little girl," Jesus said.
What do you think will happen now?

"일어나라, 어린 소녀야." 예수님께서 말씀하셨
어요. 어떤 일이 일어났을까요?

Look! She's up!
Jairus' daughter is alive again.
Only Jesus could do that.

보세요! 소녀가 일어났어요!
야이로의 딸이 다시 살아났어요.
오직 예수님만이 그렇게 하실 수 있어요.

Lunch for 5,000
오천 명을 위한 점심

Do you see all those people?
There are 5,000 fathers and mothers
and children.

저 사람들이 보여요?
아빠, 엄마, 그리고 아이들이 오천 명이나 있어요.

Those people are hungry.
They have been here for a long time,
listening to Jesus.

이 사람들은 배가 고파요.
예수님의 말씀을 들으면서 이곳에서 오랫동안
있었거든요.

But no one brought lunch except
one little boy. "May I have your
lunch?" Jesus asked.

그러나 한 소년 빼고는 아무도 점심을 가져오지
않았어요. "내가 너의 점심을 먹어도 되겠니?"
예수님께서 물으셨어요.

Do you know what Jesus did with the
boy's lunch? He fed all those people.
Only Jesus could do that.

예수님께서 소년의 점심으로 무엇을 하셨는지
알아요? 이 모든 사람들에게 점심을 주셨어요.
예수님만이 그렇게 하실 수 있어요.

Jesus Walks on Water
예수님께서 물위를 걸었어요

Do you see the men in that little boat? They are in trouble. They are afraid their boat will sink.

저기 작은 배에 탄 사람들이 보이나요? 어려움에 빠졌어요. 배가 가라앉을까봐 겁내고 있어요.

"Help!" the men shout.
But who can help them?

"도와 주세요!" 그들이 소리쳤어요.
그러나 누가 그들을 도와 줄 수 있겠어요?

The men see someone walking
on the water. It is Jesus!
He is coming toward them.

그 사람들은 물위로 누군가 걸어오는 것을 보았
어요. 바로 예수님이에요!
그들에게 걸어오고 계세요.

Jesus gets into the boat. Shhh,
wind. shhh, waves. This is God's
Son. Look how quiet they become.

예수님께서 배에 타셨어요.
바람도 쉿. 파도도 쉿. 하나님의 아들이세요.
얼마나 조용해졌는지 보세요.

Jesus Is Our Good Shepherd
예수님께서는 우리의 좋은 목자세요

Do you see that shepherd with his
sheep? He loves his sheep.
He takes good care of them.

양과 함께 있는 목자가 보이죠?
그는 자기 양을 사랑해요. 양들을 잘 돌보지요.

"I am your Good Shepherd," Jesus told His friends. He is our Good Shepherd too.

"나는 너희의 좋은 목자다." 예수님께서 제자들에게 말씀하셨어요. 예수님께서는 우리에게도 좋은 목자세요.

Jesus loves us like the shepherd
loves his sheep. He takes care of
us like a good shepherd should.

예수님께서는 자기의 양을 사랑하는 목자처럼
우리를 사랑하세요. 좋은 목자처럼 우리를
돌보아 주시지요.

Thank You, Jesus, for loving me.
Thank You, Jesus, for taking good
care of me.

예수님, 나를 사랑해 주셔서 고맙습니다.
예수님, 나를 잘 돌보아 주셔서 감사합니다.

Mary and Martha
마리아와 마르다

Mary and Martha are Jesus' friends.
They are glad that He has come to
see them today.

마리아와 마르다는 예수님의 친구예요.
오늘은 예수님께서 찾아오셔서 너무 기뻐요.

Mary has so many things to ask
Jesus. It is wonderful to hear Him
talk about God and His home.

마리아는 예수님께 물어볼 것이 너무 많아요.
예수님께서 하나님과 하늘 나라에 대해서
들려 주시는 말씀이 너무 놀라웠거든요.

Martha doesn't have time to talk.
She is too busy getting dinner.
"Make Mary help me," Martha says.

마르다는 이야기할 시간이 없어요. 저녁식사를
준비하느라 너무 바빠요. "마리아에게 나를
도우라고 하세요." 마르다가 말했어요.

Jesus smiled. "It's more important
to talk about God than to eat dinner,"
He said. Do you think so?

예수님께서 미소 지으시며 말씀하셨어요 "저녁식사를
먹는 것보다 하나님에 대해서 듣는 것이 더욱
중요한 일이다." 여러분도 그렇게 생각하죠?

The Lost Sheep
잃어버린 양

This shepherd has 100 sheep. But he loves each one of them. He feeds them. He takes care of them.

이 목자에게는 100마리의 양이 있어요. 그러나 양 한 마리 한 마리 모두를 사랑해요. 그는 양들에게 먹이를 주어요. 양들을 잘 돌보아 주어요.

One day the shepherd has only
99 sheep. One of them is lost.
What will this shepherd do?

어느 날 목자에게 양이 99마리밖에 없는 거예요.
한 마리가 없어졌어요.
이 목자는 어떻게 할까요?

The shepherd loves that little lost
lamb. So he looks for it until he finds
it. He is so happy!

목자는 잃어버린 어린 양을 사랑해요.
그래서 찾을 때까지 양을 계속 찾아다녔어요.
양을 찾은 목자는 너무 기뻤죠!

"I love you like a little lost lamb,"
Jesus said. "I am so happy when
I can help you find God."

"나는 잃어버린 어린 양처럼 너희를 사랑한다.
나는 너희가 하나님을 찾도록 도와 줄 때가
가장 기쁘단다." 예수님께서 말씀하셨어요.

A Boy Who Ran Away
멀리 떠난 소년

"Give me some money," a boy told his father. "I want to leave home. I want to do things my way now."

"나에게 돈을 주세요. 집을 떠나고 싶어요.
이제 내 마음대로 하고 싶어요."
한 소년이 그의 아버지께 말했어요.

The father was sad. But he gave the
boy some money. Then the boy went
far away. He spent all the money.

아버지는 슬펐어요. 그러나 아들에게 돈을 주었
어요. 그러자 아들은 멀리 떠났어요. 그는 돈을
다 써버리고 말았죠.

Now the boy is alone and hungry.
He wants to go home.
Will his father let him do that?

이제 소년은 외롭고 배가 고파요.
집으로 돌아가고 싶었어요.
소년의 아버지가 아들을 받아 주실까요?

Yes, you can see that he does.
He forgives his boy. God forgives us
too when we ask Him. Will you?

그럼요, 아버지의 모습을 보세요.
자신의 아들을 용서해요. 하나님께서도 우리가
바란다면 용서해 주세요. 그렇지 않나요?

Lazarus Is Alive!
나사로가 살아났어요!

Do you see Mary and Martha crying?
Their brother Lazarus has died.
They are so sad.

마리아와 마르다가 우는 게 보이죠?
그들의 오빠인 나사로가 죽었거든요.
그들은 너무 슬펐어요.

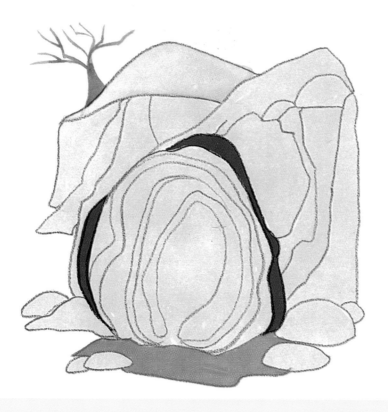

But look. Here comes Jesus. He has come to the place where Lazarus is buried. What will He say now?

그런데 보세요. 예수님이 오셨어요. 그는 나사로가 묻힌 무덤 앞으로 오셨어요. 이제 뭐라고 말씀하실까요?

"Lazarus! Come out of there!" Jesus shouts. That's Lazarus coming out of the tomb. He's alive again!

"나사로야! 거기에서 나오너라!" 예수님께서 소리 치셨어요. 나사로가 무덤에서 나오고 있어요. 그는 다시 살아났어요.

Only God's Son could make a dead person live again. Aren't you glad Jesus is your friend?

하나님의 아들만이 죽은 사람을 다시 살릴 수 있답니다. 예수님이 여러분의 친구가 된 것이 기쁘지 않아요?

Ten Men with Terrible Trouble
큰 슬픔에 빠진 열 사람

Ten men had terrible trouble. They were very sick. They had leprosy. They had terrible sores.

열 명의 사람은 큰 고민이 있어요. 병에 걸렸거든요. 문둥병이에요. 너무나 아팠어요.

These men could not live with other
people. They had to go far away.
They could not touch anyone else.

이 사람들은 다른 사람들과 함께 살 수 없었어요.
멀리 떨어진 곳으로 가야 해요.
누구에게도 손을 대면 안 되니까요.

"Help us, Jesus!" these men begged.
Then Jesus healed them.
"Thank You, Jesus," said one man.

"우리를 도와 주세요, 예수님!" 그들이 빌었어요.
그러자 예수님께서 그들을 치료해 주셨어요.
"예수님, 감사합니다." 한 사람이 말했어요.

But the others forgot to say "thank You." Have you said "thank You" to Jesus today? Would you like to now?

그러나 다른 사람들은 "감사합니다"라고 말하는 것을 잊어버렸어요. 오늘 예수님께 "감사합니다" 라고 말했나요? 지금 인사할래요?

Jesus Loves Children
예수님께서는 아이들을 사랑해요

Shhh. Do you hear what Jesus is saying?

쉿. 예수님께서 말씀하시는 것을 듣고 있나요?

"Let the children come to Me,"
Jesus says.

"아이들이 내 앞으로 오게 하라."
예수님이 말씀하세요.

The children are coming to Jesus.
Do you see them?
They want to be with Jesus.

아이들이 예수님께 오고 있어요.
그들이 보이나요?
예수님과 함께 있고 싶어해요.

Do you like to talk with Jesus?
He wants you to. Remember to do
that today. He loves you.

여러분은 예수님과 이야기하는 것을 좋아하죠?
예수님도 마찬가지예요. 꼭 기억하세요.
예수님께서 여러분을 사랑한다는 것을.

Blind Bartimaeus
장님 바디매오

"Please help me," Bartimaeus shouted. In Jesus' time, blind people had to beg for money.

"도와 주세요." 바디매오가 소리쳤어요.
예수님께서 이 세상에 계시던 때에는 장님들이
구걸을 해야 했어요.

Kind people gave Bartimaeus money.
"Thank you, thank you," he said.

친절한 사람들은 바디매오에게 돈을 주었어요.
"감사합니다, 감사합니다." 그가 말했어요.

One day Jesus came along the road.
"Please help me," Bartimaeus shouted.
"I will!" said Jesus.

어느 날 예수님께서 혼자 그 길을 지나가셨어요.
"도와 주세요." 바디매오가 소리쳤어요.
"내가 도와 주겠다!" 예수님께서 대답하셨어요.

Now Bartimaeus is not blind. He sees
Jesus smiling at him.
"Thank You, thank You!" he whispers.

이제 바디매오는 장님이 아니에요. 그는 예수님께서
자기에게 미소 짓고 있는 것을 보았어요.
"감사합니다, 감사합니다!" 그가 말했어요.

Zacchaeus
삭개오

Once there was a short little man
named Zacchaeus. He wanted to
see Jesus when He came to town.

옛날에 삭개오라는 키가 작은 사람이 있었어요.
예수님께서 마을에 오셨을 때 삭개오도 예수님이
보고 싶었어요.

There was a big crowd around Jesus.
All those people were too tall.
Zacchaeus could not see over them.

예수님 주위에 많은 사람들이 있었어요.
사람들 모두가 너무 컸어요.
삭개오는 그들 너머로 볼 수 없었어요.

Look where Zacchaeus went.
He's up in the tree. Jesus sees him.

삭개오가 어디로 갔는지 보세요.
그는 나무 위로 올라갔어요. 예수님께서 삭개오를
보셨어요.

"Come down," said Jesus. "I want to talk with you." Zacchaeus was so happy to talk with Jesus. Are you?

"내려오시오. 당신과 함께 얘기하고 싶소." 예수님께서 말씀하셨어요. 삭개오는 예수님과 함께 이야기하게 되어 너무 기뻤어요. 그렇지 않나요?

Jesus Rides into Jerusalem
예수님께서 예루살렘으로 가셨어요

Who is riding on that donkey?
It's Jesus! He will ride into the big
city named Jerusalem.

저기 당나귀를 타고 있는 사람이 누구죠?
예수님이군요! 예루살렘이라는 큰 도시로
들어가고 계세요.

"Praise God," people shout. They throw palm branches and cloaks on the path where Jesus will ride.

"하나님을 찬양하라." 사람들이 소리쳤어요.
그들은 예수님께서 나귀를 타고 가시는 길 위에
종려나무 가지와 웃옷들을 깔아 놓았어요.

Look at that crowd. They are shouting.
They are singing. The people want
Jesus to be their king.

저 많은 사람들을 보세요. 소리치고 있어요.
찬양도 해요. 사람들은 예수님께서 그들의 왕이
되길 바래요.

But Jesus is more important than
any king. He rules over all the world.
Jesus is God's Son.

그러나 예수님은 어떤 왕보다도 더욱 소중한 분
이에요. 그가 이 세상을 다스리세요. 예수님은
하나님의 아들이니까요.

A Woman's Big-Little Gift
어떤 여자의 작지만 큰 선물

"Look," Jesus said. His friends saw a poor woman. She was giving two little coins at God's house.

"보아라." 예수님께서 말씀하셨어요.
예수님의 제자들은 한 가난한 여자를 보았어요.
하나님의 집에 두 개의 작은 동전을 헌금해요.

Jesus' friends also saw some
rich men. They gave lots of money.

예수님의 제자들은 어떤 부자들도 보았어요.
부자들은 많은 돈을 헌금했어요.

"That woman gave more than those rich men," said Jesus. "She gave all that she had."

"저 여자가 부자들보다 더 많이 냈다. 그녀는 자기가 가지고 있는 것 전부를 냈기 때문이다." 예수님께서 말씀하셨어요.

Jesus wants us to give our best to Him. You will, won't you?

예수님께서는 우리가 가진 것 중에서 가장 귀중한 것을 드리길 원하세요. 여러분은 그렇게 할 거예요, 그렇죠?

The Last Supper
마지막 저녁식사

What is Jesus doing? He's breaking that piece of bread. He will give it to His friends.

예수님께서 무엇을 하고 계시죠? 빵을 떼고 계세요.
그의 제자들에게 나누어 주시려나 봐요.

This is a special supper.
It is the last supper Jesus will have
with His friends.

특별한 저녁식사예요.
예수님께서 제자들과 함께 마지막 저녁식사를
하시는 거예요.

"Remember Me," He said.
"Remember how I will die for you."

"나를 기억해라. 내가 너희를 위해서 어떻게
죽는지를 기억해라." 예수님께서 말씀하셨어요.

Do you have communion in your church? People remember Jesus when they eat and drink at that time.

여러분의 교회에서 하는 성찬식을 보았죠?
그때 사람들은 먹고 마시면서 예수님을 기억하는
거예요.

Jesus Prays in a Garden
예수님께서 언덕에서 기도하세요

"Wait here," Jesus said to three friends. "I must go over there and pray."

"여기에서 기다려라. 나는 저기에 가서 기도를 하겠다." 예수님께서 세 명의 제자들에게 말씀 하셨어요.

Jesus' friends watched. He went
to a big rock. He bowed His head. Then
He began to pray.

예수님의 제자들이 바라보았어요. 예수님께서
커다란 바위로 가셨어요. 머리를 숙였어요.
그리고 기도를 시작하셨어요.

"Father, help Me do what You want,"
Jesus prayed.

"아버지, 당신이 원하시는 대로 할 수 있도록
나를 도와 주세요." 예수님께서 기도하셨어요.

That's a good prayer for us to pray
too, isn't it?

이것은 우리가 본받을 훌륭한 기도예요. 그렇죠?

Jesus Dies on the Cross
예수님께서 십자가에서 돌아가셨어요

Some men are nailing Jesus to a big
wooden cross. He has not hurt them.
But look what they are doing.

어떤 사람들이 큰 나무 십자가에 예수님을 못박
아요. 예수님께서는 그들에게 잘못한 것이 없어요.
그런데도 그들이 하는 것을 보세요.

Jesus died that day on the cross.
He came to earth to do this. That's
because He loves us so much.

예수님께서는 그날 십자가에서 돌아가셨어요.
예수님께서는 돌아가시기 위해서 세상에 오셨던
거예요. 우리를 너무나 사랑하시기 때문이에요.

Jesus wants to help us live with
God in heaven. When we sin, we
can't go there.

예수님은 우리가 하늘 나라에서 하나님과
함께 살기를 바라세요. 우리가 죄를 지으면
그곳에 갈 수 없어요.

But Jesus died to take away our sin.
He wants to be our Saviour. He will if
we ask. Will you ask Him?

그러나 예수님께서 우리의 죄를 없애기 위해 돌아
가셨어요. 그는 우리의 구원자가 되길 원하세요.
우리가 기도한다면, 구원해 주실 거예요. 여러분도
예수님께 기도할 거죠?

Some Women Visit Jesus' Tomb
어떤 여자들이 예수님의 무덤을 찾아가요

There is an angel! Do you see it?
The angel is talking to Jesus' friends.

여기 천사가 있어요! 보이나요?
천사가 예수님의 제자들에게 얘기하고 있어요.

"He has risen!" the angel says.
"Jesus is alive again! Come and see
where His body was lying."

"예수님이 일어나셨어요! 다시 살아나신 거예요!
와서 그분이 누워 계셨던 곳을 보세요."
천사가 말해요.

The women go into the tomb.
The angel is right. Jesus is not there.
He has risen from the dead.

여자들이 무덤으로 들어가요.
천사가 옳았어요. 예수님께서는 거기에 계시지
않아요. 예수님은 죽음에서 살아나신 거예요.

Now there is another angel! "Go and tell the Good News," The angel says. That's what the women will do.

지금 여기에는 다른 천사가 있어요! "가세요, 그리고 기쁜 소식을 전하세요." 천사가 말했어요. 이것이 여자들이 해야 할 일이에요.

Jesus Goes Back to Heaven
예수님께서 하늘 나라로 돌아가셨어요

Jesus and His friends are walking to the top of a mountain. It is called the Mount of Olives.

예수님과 제자들이 산 꼭대기에 올라가요. 이곳은 감람 산이라고 불러요.

"The Holy Spirit will soon come,"
Jesus tells them. "Then you will tell
people everywhere about Me."

"곧 성령이 오실 거다. 그러면 너희는 모든 사람
들에게 나에 대해서 이야기해라." 예수님께서
그들에게 말씀하셨어요.

Then something exciting happens.
Jesus is rising up into the sky. He
goes all the way back to heaven.

그런데 놀라운 일이 일어났어요. 예수님께서 하늘로
올라가세요. 예수님께서는 하늘 나라로 다시
돌아가시는 거예요.

Two angels speak. "Jesus has gone
back to heaven," they say. "Some day
He will come back."

두 명의 천사가 말했어요. "예수님께서는 하늘
나라로 돌아가셨어요. 언젠가는 다시 오실 거예요."

The Holy Spirit Comes
성령님께서 오셨어요

Shhh. Jesus' friends are praying.
They are together in a room upstairs.
But look!

쉿. 예수님의 제자들이 기도하고 있어요.
그들은 다락방에 모여 있어요.
그런데 보세요!

There is a little fire on each person's head. But the fire doesn't hurt. What is happening?

사람들의 머리 위에 각각 작은 불이 있어요.
그런데 불에 데지 않아요. 무슨 일일까요?

These friends know. Jesus told them.
The Holy Spirit has come. He will help
them do great things.

제자들은 알았어요. 예수님께서 그들에게 말씀
하셨거든요. 그 성령님께서 오신 거예요. 성령님은
제자들이 많은 일을 하도록 도울 거예요.

Now they will tell people everywhere about Jesus. The Holy Spirit will help us do that too.

이제 제자들은 어디에서나 예수님에 대해서 사람들에게 이야기할 거예요. 성령님이 그들을 도우시는 것처럼 우리들도 도와 주실 거예요.

An Ethiopian Hears about Jesus
에디오피아 사람이 예수님에 대해서 들었어요

Here comes a chariot. Do you see the man in it? He is a very important man from Ethiopia.

저기 마차가 와요. 그 안에 타고 있는 사람이 보여요? 그는 에디오피아에서 온 높은 사람이에요.

This man is reading God's Word.
Philip will help him know God's
Word better.

이 사람은 하나님의 말씀을 읽고 있어요.
하나님의 말씀을 더 잘 알도록 빌립이 도와 줄
거예요.

Philip tells the man what God's
Word says about Jesus. Now the
man wants to become Jesus' friend.

빌립은 하나님의 말씀이 예수님에 관해 뭐라고
말하고 있는지 얘기해 주었어요. 이제 그 사람은
예수님의 제자가 되고 싶어해요.

This man accepted Jesus. He
became Jesus' friend. Now he will
tell many in Ethiopia about Jesus.

이 사람도 예수님을 믿게 되었어요. 예수님의
제자가 된 거예요. 이제 그는 에디오피아에서
많은 사람들에게 예수님에 관해 전할 거예요.

Saul Becomes Jesus' Friend
사울이 예수님의 제자가 되어요

That man Saul is a mean man. He
hates Jesus' friends. He is going
to another city to hurt them.

사울이라는 저 사람은 나쁜 사람이에요. 예수님의
제자들을 미워해요. 그래서 예수님의 제자들을
해치러 다른 도시에 가는 중이에요.

Suddenly a bright light shines.
It is coming from heaven.
Someone in heaven talks to Saul.

갑자기 밝은 빛이 비추었어요.
하늘에서부터 비추는 것이에요.
하늘에서 누군가가 사울에게 말을 해요.

"I am Jesus!" the voice says.
"You are hurting Me. Stop it!
I want you to be My helper."

"나는 예수님이다! 네가 나를 해치는구나.
멈추어라! 나는 네가 나의 제자가 되길 바란다."
목소리가 들려와요.

Saul knows now that Jesus is God's
Son. He will stop hurting Jesus.
He will help Jesus do His work.

이제 사울은 예수님이 하나님의 아들이라는 것을
알았어요. 사울은 예수님을 해치는 일을 하지 않을
거예요. 예수님을 돕는 일을 할 거예요.

Barnabas Is a Good Friend
바나바는 좋은 친구예요

Saul needs a friend. His old friends
hate him. Saul follows Jesus now.
His old friends do not like that.

사울은 친구가 필요해요. 사울의 옛 친구들은
그를 미워해요. 사울은 이제 예수님을 따라요.
옛 친구들은 그것이 마음에 들지 않았어요.

But Jesus' followers are still afraid
of Saul. He hurt many of them before
he accepted Jesus.

그러나 예수님을 믿는 사람들도 여전히 사울을
무서워했어요. 사울이 예수님을 믿기 전에 많은
사람들을 해쳤기 때문이에요.

"I will be your friend."
Barnabas told Saul.

"내가 당신의 친구가 되겠어요."
바나바가 사울에게 말했어요.

Now Barnabas' friends are Saul's friends too. They will help Saul tell many others about Jesus.

이제 바나바의 친구들은 사울에게도 친구예요.
그들은 사울이 많은 사람들에게 예수님에 대해서
말하도록 도와 줄 거예요.

Dorcas Is Alive Again
도르가가 다시 살아났어요

Dorcas was a special lady. She was always helping someone. She cooked. She sewed. She did many things.

도르가는 특별한 여자였어요. 항상 누군가를 도왔어요. 요리하고요. 바느질도 했어요. 많은 일들을 했지요.

Everyone loved Dorcas.
But one day Dorcas died.
Her friends were so sad.

모두가 도르가를 사랑했어요.
그런데 어느 날 도르가가 죽었어요.
그녀의 친구들은 매우 슬펐어요.

"Find Peter!" her friends said. "He will
help us." So someone found Peter.
He came to Dorcas' house.

"베드로를 찾아! 우리를 도와 주실 거야." 도르가
의 친구들이 말했어요. 그래서 누군가가 베드로를
찾았어요. 베드로가 도르가의 집에 왔어요.

"Get up, Dorcas," Peter said.
Then Dorcas was alive again.
How happy all her friends were!

"도르가야, 일어나라." 베드로가 말했어요.
그러자 도르가가 다시 살아났어요.
도르가의 친구 모두가 얼마나 기뻤는지 몰라요!

Singing in Jail
감옥 안에서 찬양해요

Do you remember Saul? People call
him Paul now. He and Silas are in jail.

여러분은 사울을 기억하나요? 사람들은 이제
그를 바울이라고 불러요. 바울과 실라는 감옥에
있어요.

Some bad men put them there.
But Paul and Silas are singing.
They sing about Jesus, even in jail.

어떤 나쁜 사람들이 그들을 가두었어요.
그러나 바울과 실라는 찬양을 해요.
비록 감옥에 있어도 예수님을 찬양해요.

Suddenly God shakes the jail.
The doors fly open. Paul and Silas
can run away. But they don't.

갑자기 하나님께서 감옥을 흔드셨어요. 감옥 문이
열렸어요. 바울과 실라는 도망 갈 수 있어요.
그렇지만 도망가지 않아요.

The man in charge knows they could
have run away. But they didn't.
Now he wants to follow Jesus too.

감옥을 지키는 사람은 그들이 도망갔을 거라고
생각했어요. 그러나 그들은 도망가지 않았죠.
이제는 그도 예수님을 따르기로 했어요.

Telling a King about Jesus
왕에게 예수님에 대해서 전했어요

Do you see that king and his sister?
People were afraid of a king.
He might not like what they said.

왕과 그의 여동생이 보여요?
사람들은 왕을 무서워했어요.
왕은 사람들이 하는 말을 좋아하지 않았거든요.

A king could hurt them or kill them.
Will Paul tell the king about Jesus?
Will he be afraid?

왕은 사람들을 해치거나 죽일 수도 있었어요.
바울이 왕에게 예수님에 대해서 말할까요?
무섭지 않을까요?

"I wish you would become a
Christian," Paul told the king.
"I wish you would accept Jesus."

"나는 왕께서 기독교인이 되기를 바랍니다.
예수님을 믿기를 바랍니다."
바울은 왕에게 말했어요.

Paul told everyone about Jesus.
He wanted everyone he met to
accept Jesus. Do you?

바울은 모든 사람들에게 예수님에 대해 말했어요.
바울은 자기가 만난 모든 사람들이 예수님을
믿기를 바랬어요. 여러분도 그렇죠?

Shipwreck!
배가 부서져요!

This ship is in trouble. The people on the ship are in trouble too.
Do you see the stormy sea?

이 배는 위험해요. 배에 있는 사람들도 위험해요.
여러분은 폭풍이 치는 바다가 보이나요?

The ship is taking Paul far away.
A king will decide if Paul should
be killed.

그 배는 바울을 멀리 데리고 가요.
왕은 바울을 죽이라고 할 거예요.

Oh, no! The ship has crashed on
some rocks. What will happen to
Paul and the other men?

오, 안돼요! 그 배가 바위에 부딪혀서 부서져요.
바울과 다른 사람들은 어떻게 될까요?

God takes care of Paul and the others. No one is hurt. God has special things for Paul to do.

하나님께서 바울과 다른 사람들을 잘 돌보아 주세요. 아무도 다치지 않도록요. 하나님께서는 특별히 바울을 잘 돌보아 주셨어요.

A Boy Named Timothy
디모데라는 소년

Timothy's mother helped him love
God's word.

디모데의 엄마는 디모데가 하나님의 말씀을
사랑하도록 도와 주었어요.

So did his grandmother.

디모데의 할머니도 그렇게 했지요.

Does someone help you love God's
word? You're happy when they do.

누군가가 여러분이 하나님의 말씀을 사랑하도록
도와 주나요? 그때는 매우 행복해요.

Jesus is happy too!

예수님도 기뻐하세요!

영한대조본

지은이 | 길버트 비어스, 그린이 | 캐롤 뵈르크

옮긴이 | 송서진

초판 1쇄 발행 | 1999년 6월 15일

초판 15쇄 발행 | 2007년 9월 28일

개정판 1쇄 발행 | 2008년 9월 1일

개정판 3쇄 발행 | 2009년 9월 10일

펴낸이 | 정형철

펴낸곳 | 주니어 아가페

등록번호 | 제21-754호

등록일 | 1995. 4. 12

주소 (137-817) 서울시 서초구 방배2동 430-2

전화 584-4835(본사), 522-5148(편집부)

팩스 586-3078(본사), 586-3088(편집부)

홈페이지 www.iagape.co.kr

ⓒ 판권 본사 소유

ISBN 978-89-959751-9-0 (77230)